D1628368

Marguerite-Marie Vandewalle

FRANÇOIS D'ASSISE

LE CHANTEUR DE DIEU

Illustrations
Josette Vinas y Roca

editions
fleurus

31, rue de Fleurus 75296 Paris cedex 06

François, Francis, Franck,
un prénom bien connu
qu'ont porté beaucoup de saints.
Aujourd'hui,
nous te présentons François d'Assise,
le chanteur de Dieu.

Jean Bernardone
né à Assise, en 1182,
fils de Pierre, commerçant en drap
et de Dame Pica.
En souvenir des Français de passage en Italie,
ils l'appelleront François.

Un joyeux luron.

François est un jeune homme comblé.
Il porte de riches vêtements.
Il joue de la mandoline, adore les fêtes...
et les amis qui aiment sa compagnie...

Et puis, brusquement,
la tristesse le prend.
Il joue seul... et se demande :
"A quoi sert ma vie ?"

Puis il retourne à ses fêtes
et à ses amusements...

Un jour,
dans un de ces moments de solitude,
François galope à cheval sur la route.
Soudain,
il voit venir vers lui un pauvre lépreux.
Le malheureux tente de s'enfuir*
mais François l'interpelle.

Il voit ce visage tuméfié,
ces yeux tristes.

Alors, d'un seul bond,
il arrache son manteau,
en couvre le malheureux
et, tout à coup, l'embrasse :
"Tu es mon frère".

Et François repart en chantant :
"Joie, joie... j'ai trouvé la joie".

* Les lépreux n'avaient pas le droit de s'approcher des hommes
et des villages, par crainte de la contagion.

9

Un jour,
seul sur la route,
il rencontre un vieux prêtre
réparant son église qui croule,
et, entrant dans l'église,
il entend l'Evangile :

"Allez sur les routes,
dépouillez-vous de tout,
n'emportez ni sac, ni argent..."

Cette fois, François a trouvé sa route.

Mais Pierre Bernardone ne l'entend pas ainsi.
Devant l'évêque et les bourgeois de la ville,
il convoque son fils.

François,
à la stupéfaction de tous,
se dépouille de ses riches vêtements
et s'écrie :
"Désormais, mon père, c'est Dieu.
A Pierre Bernardone,
je rends tout l'argent, les vêtements.
J'irai nu et pauvre, à la rencontre du Seigneur…"

Et voici François sur les routes.
Avec quelques-uns de ses compagnons,
il marche...
console les malades dans les léproseries...
assiste les pauvres.
Et, le soir, à la belle étoile,
ou dans une vieille cabane,
tous ensemble louent le Seigneur.

Loué sois-tu, Seigneur,
pour notre frère le soleil,
loué sois-tu, Seigneur,
pour notre sœur l'eau si précieuse.

Peu à peu,
ces petits groupes
se font plus nombreux.
Ils vont de contrées en contrées,
on les voit sur les routes,
sans bagages,
pèlerins de Dieu.
A tous, ils prêchent l'Evangile.
Ce seront les premiers Franciscains*.

Une seule condition:
"Etre pauvre et aller vers les pauvres".

* Franciscains (du prénom François).
Il y en a aujourd'hui dans
le monde entier.

17

François, une nuit de Noël, célébrera la messe
dans un humble village, Greccio, près de Rieti.
Bergers et paysans se retrouveront devant une
grotte creusée dans le rocher, une mangeoire, un
bœuf, un âne...; pour la première fois, François
bâtira avec les habitants... la première crèche.

"Mes frères, c'est par une nuit pareille
qu'est né Jésus. Dans la même pauvreté.
Car qui a-t-il de plus pauvre que notre Dieu,
se faisant "Fils de pauvre"?"

A la demande de ses frères,
avant de mourir,
il rédige une règle de vie
qui est, en même temps, une prière :

Là où est la haine, l'offense,
le désespoir, la tristesse,
que je mette l'amour, le pardon,
l'espérance, la joie !

LETTRE AUX PARENTS

Dans l'histoire de François d'Assise, il y a encore bien d'autres épisodes mais nous avons voulu d'abord :

— faire aimer ce jeune homme qui adorait la vie... mais qui n'en trouvait pas le sens (pages 6-7) ;

— faire participer à sa recherche de la vraie joie : quand il embrasse le lépreux (pages 8-9) (il donne au lieu de recevoir), quand il se dépouille de tout (pages 12-13), quand il constitue ces premières petites communautés fraternelles (pages 14 à 17).

Ce que nous voudrions surtout faire découvrir c'est que cette simplicité de vie donne la vraie joie : une harmonie avec la nature (extrait du Cantique des créatures), une entente profonde avec les habitants des pauvres villages (première crèche de Noël).

François était sans ambition : il n'a pas voulu fonder de grands ordres et pourtant, aujourd'hui encore, la charte franciscaine ("Là où est l'amour") n'inspire pas seulement les couvents des Franciscains et Franciscaines mais de nombreux chrétiens, qui s'appuient sur l'esprit d'amour qu'elle reflète.